Joséphine Bacon

Un thé dans la toundra
Nipishapui nete mushuat

MÉMOIRE D'ENCRIER

Mise en page : Virginie Turcotte
Maquette de couverture : Étienne Bienvenu
Correction de l'innu-aimun : Yvette Mollen de l'Institut Tshakapesh
Dépôt légal : 3ᵉ trimestre 2013
© Éditions Mémoire d'encrier

Catalogage avant publication de Bibliothèque et Archives nationales du Québec et Bibliothèque et Archives Canada
Bacon, Joséphine, 1947-

Un thé dans la toundra = Nipishapui nete mushuat

(Poésie ; 47)

Poèmes en français et en montagnais.

ISBN 978-2-89712-095-5

I. Bacon, Joséphine, 1947- . Thé dans la toundra. II. Bacon, Joséphine, 1947- . Thé dans la toundra. Montagnais. III. Titre. IV. Titre : Nipishapui nete mushuat.

PS8603.A334T53 2013   C841'.6   C2013-941927-6
PS9603.A334T53 2013

Mémoire d'encrier
1260, rue Bélanger, bureau 201
Montréal, Québec,
H2S 1H9
Tél. : (514) 989-1491
Téléc. : (514) 928-9217
info@memoiredencrier.com
www.memoiredencrier.com

Joséphine Bacon

Un thé dans la toundra
Nipishapui nete mushuat

DE LA MÊME AUTEURE

Bâtons à message · Tshissinuatshitakana, Montréal, Mémoire d'encrier, 2009.

Nous sommes tous des sauvages (en collaboration avec José Acquelin), Montréal, Mémoire d'encrier, 2011.

PROLOGUE

Lorsque j'ai vu la toundra pour la première fois, j'étais à Schefferville, accueillie par un grand chasseur de caribous, Ishkuateu-Shushep, et sa femme Maïna. C'était l'automne 1995. Se tenait alors le premier rassemblement des aînés de toutes les communautés innues. Dès mon arrivée, nous nous sommes rendus au campement. Les tentes étaient montées depuis la veille, les foyers installés, les feux allumés. Cela rappelait à Ishkuateu-Shushep les grands rassemblements de printemps, lorsque les différents clans convergeaient de leurs territoires de chasse pour descendre ensemble vers la côte. Les yeux illuminés, Ishkuateu-Shushep vivait de nouveau cette période heureuse. Il renaissait. Il a serré la main de tous les aînés.

Le lendemain, nous sommes partis chasser le caribou. Nous avons quitté la taïga de Schefferville en pick-up. Nous avons traversé la Forêt verte. Ishkuateu-Shushep m'a fait remarquer les panaches de caribous accrochés à la cime des épinettes. Nous nous sommes arrêtés pour que je puisse bien les observer.

– Sais-tu pourquoi les Innus font cela ?

– Oui, pour que le caribou revienne.

– Oui, mais c'est aussi pour montrer notre respect au Maître du Caribou, Atiku-napeu ou Papakassik[11].

J'étais en contemplation devant tant de respect de la part des vieux chasseurs. Je voyais de mes propres yeux les traces de ce rituel dont j'avais tant entendu parler dans les récits. C'était magique.

Nous avons fait de la route, de la route... Il y avait de moins en moins d'arbres, jusqu'à ce qu'Ishkuateu-Shushep me dise :

– C'est ça qu'on appelle Mushuau-Assi, la toundra.

Je me suis alors souvenue des paroles de Mishta-Napeu, celui qu'on appelait Grand Homme : « Si un jour tu vas à la toundra, tu sentiras que la Terre te porte. »

C'était vrai. Je voyais l'horizon tout autour. Il n'y avait plus de murs, comme si j'étais dans l'espace, suspendue dans le temps.

En septembre, le caribou se déplace en petits groupes. Les yeux d'Ishkuateu-Shushep perçaient l'horizon comme ceux d'un jeune chasseur.

– Il y a six caribous là-bas !

Je n'arrivais pas à les distinguer même avec des jumelles.

– Si tu ne sais pas regarder, tu ne verras rien.

Ça m'a pris un temps fou pour les voir. Ils étaient tout petits à l'horizon. Comment avait-il fait pour les voir sans jumelles ?

– Apprends à regarder !

Finalement ils étaient là. Il s'est tourné vers moi et m'a désigné une grosse roche derrière laquelle nous irions nous cacher pour les attendre. Il savait combien de temps cela allait prendre aux caribous pour arriver là où nous étions cachés. Il connaissait la direction qu'ils allaient emprunter.

Tout est arrivé exactement comme il l'avait prédit. Vingt minutes plus tard, les caribous étaient là. J'étais sans voix. Comment faisait-il pour les connaître si bien, pour être si précis ? Il faut être proche de Papakassik[u]. Il avait sans doute sa façon de prier, de méditer.

– Je vais tirer sur le jeune caribou pour honorer les aînés qui sont en visite chez nous. Ils ont besoin de manger de la viande tendre.

Il n'a tiré que sur le jeune et l'a aussitôt dépecé et vidé.

Maïna avait allumé un feu. Elle coupait des tranches de caribou sur une grosse roche. Elle a pris une petite chaudière noircie par la suie et l'a remplie d'eau. Elle a jeté des sachets de thé dans l'eau. Elle a suspendu l'anse de la chaudière à un bâton planté en diagonale dans le sol, au-dessus du feu. Elle a fait cuire le caribou. Elle savait que le thé serait prêt au même moment que la viande. Avec la chaudière, elle a arrosé de thé les tranches de caribou dans le poêlon. Mon plus beau festin.

Nous étions assis dans la toundra à déguster, à rendre grâce au Maître du Caribou. Après le repas, Maïna m'a demandé d'aller chercher une pierre que je devrais déposer sur la roche où elle avait tranché le caribou. Ainsi, chaque fois qu'elle reviendrait à cet endroit, cette pierre allait signifier ma présence.

Depuis, Ishkuateu-Shushep nous a quittés. Je sais qu'il est devenu l'Esprit des chasseurs, c'est lui le caribou qui parfois s'approche la nuit près du village pour que le tambour de la parole n'oublie rien.

Joséphine Bacon

Tu es musique
Tes nuages sont sans frontières
Quand ils s'approchent
Leurs odeurs se parfument de brume
Tu danses la pureté des gouttes
Les yeux éteints
Je perçois ta beauté
Tes mélodies
Je dépose du tabac
En offrande sur une pierre
Je te suis redevable
Pour ma liberté

Nipeten nikamun nishtikuanit
Kashkuanat mishitueiepanuat
E tatshishkakaui mushuau-assinu
Uitshimatam^u eshimakuannit
Tshinimin, minuenitam^u uapitsheushkamik^u
Peikuan eka uapiani
Nitshisseniten menuashit anite etain
Ashini nipatshitinimuau
Tshishtemaua
Tshuitamun
Apu auen tipenimit

Je ne sais pas chanter
Pourtant, dans ma tête
Un air me rappelle
La verte Toundra

Mon corps s'appuie
Sur une présence
Invisible
La ville où j'erre
Et l'espoir que tu m'accueilles
Puisque je suis
Toi

Apu nitau-nikamuian
Nipeten nikamunanitak
Nitshissituten uapitsheushkamik^u eshi-shipekut

Nitashpatshikapaunaua
Miam tat anite auen
Nimatishun
Utenat natamik^u ka papamuteian
Nipakusheniten tshetshi uishamin
Uesh ma nutshin
Anite etain

Jambes fatiguées
J'avance, j'avance, j'avance
Pas lents, pas accélérés
J'ai vieilli depuis

Nue
Tu m'offres l'horizon

Ébahie, je vois
Loin

Nitaieshkuten, nitaieshkukaten
Shaputue, shaputue, shaputue nipimuten
Apu tshishkapataian, nitshishkapatan
Nuash nitshishenniun

Musheshkat
Tshimin tshishik[u]

Nikushkushapaten
Katak[u] nuapaten

Tu me promets une terre pure
Où tu existes
Missinak[u] m'abreuve
Papakassik[u] court avec moi
Le lichen me nourrit
La mousse soigne mes larmes

Je reviens à la grande étoile
Mon guide
C'est ici que je danse
Avec les aurores boréales
Étendue, je n'agonise pas

Tshitatamishkun e minuat assi
Anite etain
Missinak^u niminik^u
Papakassik^u nuitshek^u
Uapitsheushkamik^u nitashamik^u
Massekushkamik^u kashinam^u nissishikua miaian

Ninatuapamau mishta-utshekatak^u
Uin nuitamak^u tshe ituteian
Ekute ute namian ashit uashtuashkuan
Nipimishin, apu matenitaman
Ninipun

J'ai grandi avec l'espace
Les voix sont simples
Parfois j'emprunterais
Les mots des poètes
Tu es là
Je suis là
C'est chez toi
Que tu me fais
Entendre la Terre

Mishau anite ka nitautshian
Apu animenitakuak anite ka taian
Nanikutini nipa minuenitenashapan
Minikauian kashekau-aimunissa
Tshititan ute
Nititan ute
Tshitshuat nititan
Kie ekute pietaman
Assi

On m'arrache à ton silence

Tu ne racontes plus
Les couleurs de l'air
Je ne reconnais plus
Mes sœurs les vents

On m'apprend un Dieu
J'ai perdu l'horizon
Face à moi
Le Mur

Nutinikun apu tshituin

Tshipun ka tipatshimushtuin eshi-assiut
Anutshish apu tshissenitaman eshi-utik

Nitshishkutamakun aiamieun
Apu tshissenitaman anite nipa ituten
Ushtishkut napauian
Ashtamitat

Ta vie déviée
Les rivières s'éloignent
De leur embouchure
Tu retournes sur une terre
Qui te respecte
Tu revêts tes rêves
Les quatre directions
Tes sœurs
L'horizon te fait don
D'une terre
Sans fin du monde

Itshepanu tshitinniun
Unatina shipua
Anite ka ut shatshituat
Kau tshinatuapaten assi
Ka shatshitain
Kau tshipuaten
Nutina
Tshishik^u tshitatamishkak assinu
Anite eka nita tshe punassiut

Tu étais mon rendez-vous manqué
Tu étais là, seule
Je n'ai pas su retenir le présent
Je t'ai vécue un court instant
Tes lumières là-haut me reconnaissent
Je sais que la lune pleine me guide
Je frappe dans mes mains
Tes habits verts et violets
Ta couleur lumière
Dansent pour moi
J'ai enlevé mes souliers de ville
Pieds nus
Je sais que je suis chez moi

Uenapissish tshuapamitunan
Apu tshut tshissenitaman
Tshin an eshapan ka ui uapamak
Tshititan ute, tshipeikussin
Apu tshut tshi mitshiminitan
Muku uenapissish
Utshekatakuat ninishtuapamikuat
Apu unishinian e shakassineti tipishkau-pishimu
Nututamain nititshia
Takushinu uashtuashkuan
Apitshimineu, shipekun nuashtenamaku
Mamu niniminan
Nimanen nimishtikushiussina
Nishashashtin
Nitshinat nitakushin

Enfant de la Toundra
Résonne mon cœur
Ta musique, la rivière
Ta lumière, les étoiles
Ton tapis, le vert tendre du lichen
Je ne sais pas voler mais tu me portes
Ta vision dépasse le temps
Ce soir je n'ai plus mal
La ville ne m'enivre plus

Mushuau-auass
Natuta nitei
Shipua nikamuat
Utshekatakuat tshuashtenamakuat
Tshitakushkaten uapitsheushkamik^u
Tshipapamipanin tshishikut
Tshititutein anite tshe nikan-tshissenitaman
Uetakussiti apu kassenitaman
Ninakaten utenau

L'identité sommeille
Un désir d'espaces
Se bat dans la mémoire
La réponse se dessine
Sur mes cheveux gris
Mes mains parlent de vent
Tu m'écoutes pour entendre ma voix
Une terre nue t'invite
La blancheur saison calque ton corps
Nul nuage ne perturbe ta joie
Les innombrables lumières là-haut
N'aveuglent plus tes yeux
Qu'importent leurs couleurs
Tu es l'Esprit des récits anciens

Apu nanitam nishtuapamitishuian
Nipa minueniten taian e mishitueiat
Apu tshekuan ui uni-tshissitutaman
Mishau tipatshimun nuapishtikuaneunit
Nititshia nuitamakun anite uet utik
Tshinatutun, tshipetun
Anite ka kunassinen
Apu apatenitamin kashkuanashkut
Tshiminueniten
Utshekatakuat tshitshissinuatshituakuat
Tshin an ka petamin
Tshiashi-tipatshimuna

Ma vieillesse me parle
Mes jambes avancent vers la terre
Je ne trébuche pas
Lentement je fais le tour du lac
Une truite grise me dévisage
Elle sait que mon apprentissage
Émeut mon âme
À mon tour, je deviens une aînée
J'attends ta visite pour te raconter
Une histoire qui demeure
Dans les mémoires

Kashikat nitshishenniu-aitapin
Nishkata nitapashtan e natuapataman assi
Apu atshikateshinian
Metikat nikueshtakamen
Kukamess nitshitapamik^{u}
Tshissenitam^{u} eshineian eshi-tshissenitaman
Kuessipan nikukuminashiun
Tshitashuapamitin tshetshi takushinin
Tshika tipatshimushtatin tipatshimun
Apu nita tshikaut uni-tshissitutakan

Plus besoin de savoir écrire
Ni de savoir calculer
Il me suffit de connaître
Les directions

Cueillir le champignon
Qui préserve le feu
Immortel

J'amène mon bâton de parole
Et m'adresse aux étoiles
Je m'assois pour le repos de mes pieds
Je sais être seule pour entendre
Les aurores boréales
Je dandine
Dans le bleu du bleu
D'une nuit qui endort
Mon grand-père l'ours

L'horizon sera là
À m'attendre
Et me conduira à la rivière
Au courant
Trompeur parfois

J'arrive enfin
À la terre qui espère
Ma venue

Anutshish apu apashtaian mashinaikana
Apu apashtaian atshitashuna
Nimeshkanam takuan
Anite tshe ituteian

Ninanatuapamau pushakan
Uin tshika kanuenitam^u ishkuassenu
Apu nita tshika ut ashtuet

Nititutatan nishashkauteun
Nitaimiauat utshekatakuat
Nitapin nitashteieshkushin
Niminunuau uashtuashkuan
Nimitak uashkut
Nipekueu nimushuma mashkua

Tshishik^u nitashuapamikun
Uin nika peshuk shipit
Nanikutini tshishkatshuan

Nitakushin tapue
Assit
Ka pakushenimit

Ce soir Toundra
Écoute son silence

Bruit de pas
Rythme du cœur
Son de tambours

L'écho fredonne une incantation
Papakassik[u] l'entend
Et envoie son fils Caribou
Nourrir mon corps fatigué
Chausser mes pieds usés

J'étends sur la neige sa peau de fourrure
Pour m'endormir
Mes rêves atteignent les étoiles

Toundra me chuchote
Te voilà

Uetakussit Mushuau-assi
Natutam^u
Apu tshekuan petakuak

Pimutenanitak
Utei petakuan
Teueikan petakushu

Sheueu tshitaimueu uteueikana
Papakassik^u petueu
Itishaueu ukussa atikua
Tshetshi ashamit
Tshetshi umassinikut

Nishatuekanau atikuian
Anite tshe nutekushian
Minuaua nipuamuna

Tshimut nitaimik^u
Aua tekushinin

Je ne suis pas peintre, hélas
J'ai dans la tête
Une toile qui te ressemble

Le clapotis de la rivière chantonne
Éblouie par la chicoutée aux couleurs de feu
Je grimpe la montagne
Au sommet
Une terre
Le Nord, l'Est, le Sud et l'Ouest

Nord annonciateur de beau temps
Est le réveil
Sud le repas
Ouest le repos

Tu m'enveloppes
Sans absence

Apu nitau-unashinataitsheian tapue
Nikanueniten unashinataikan niteit

Shipu nikamuitak
Minunam^u eshi-ishkuteuniti shikuteua
Nitamatshuen utshu
Takutatinat
Nuapaten assi
Tshiuetin, mamit, akua-nutin, pashtautin, natamit

Tshiuetin minu-tshishikau
Mamit petapan
Pashtautin apita-tshishikau
Akua-nutin nipun

Tshitakussin
Uesh ma tshititan

Cette nuit je cherche des mots
Des mots qui sonnent musique
Des mots qui peignent couleur
Des mots qui hurlent silence
Des mots sans dimension

Cette nuit mon dos se courbe
Mes genoux fléchissent
Tu es la nudité du monde

Tipishkau aimunissa ninanatuapaten
Aimunissa e minutakuaki
Aimunissa unashinataikan e takuak
Aimunissa e tepuemakaki
Aimunissa nutim ka issishuemakaki

Tepishkat nuakaukunen
Nitshikuna pitshikatepanua
Tshin an mushuau ute assit

J'ai marché
J'ai portagé
J'ai pagayé
Pour te rencontrer

Les genoux abîmés
J'arrive à toi
La solitude ne m'effraie pas
Mes perches sont là à m'attendre sur ton lichen

J'apprends l'hymne du Grand Esprit
Toi, mon amie Toundra
Tu l'emportes jusqu'à lui

Nipimuteti
Nikapatati
Nipimishkati
Tshetshi natshishkatan

Nuash nitakushin nitshikuna
Eshpish ui utititan
Apu shetshishian peikussiani
Nipushtinauat nitashuapimakuat
Uapitsheushkamikut

Nitshishkutamatishun aiamieu-nikamun
Tshin Mushuau tshititutatuau Katipenimitak

Tu es avec moi

Au loin le chant des loups
Tel un fado qui pleure l'absence

Je ne suis pas triste
Je rêve du retour

Grand-père ours s'en est allé dormir
Le rouge de ses airelles accompagne sa retraite
Papakassik^u reçoit ma prière
Demain caribou se donnera à moi
Je festoierai pour un ultime repas

Je suis ton invitée

Tshuitapamin

Maikanat unuat katak^u
Miam e mushkumutaui eka tshe takushinian

Apu kassenitaman
Nipakusheniten kau tshetshi uapamitan

Nimushum mashk^u natshi-nipau
Uishatshimina nimassikueu
Papakassik^u petam^u ka aiamituk
Uapanniti atik^u tshika patshitinitishu
Nimupimen, nimakushen

Tshuitshishkumitin

Une nuit de songe
Je dansais une valse à trois temps
Je souriais à la terre heureuse
Dans la splendeur de sa nudité

Mes yeux s'amusent à rire

Tambour, je rêve du tambour
Il est mon rendez-vous

Peikuau peuamuian
Ka-niniminaua mishtikushiu-nimun
Ka-nushinenaua eshpish shatshitaian ume assi
Eshpish minuashit Mushuau

Ka-ninishtunakushinaua auat nissishikut

Teueikan, tshipuatitin teueikan
Tshin ka-tshitashuapaminaua

Je suis aveugle
Pourtant, j'ai vu
Un dessin
Une terre nue

J'avance
Dans l'obscurité des couleurs
Il n'y a pas d'obstacle
La musique de la rivière guide mes pas
Moi seule l'entends

Je t'amène jusqu'à l'aurore
Je te regarde danser là
Où tu me rejoins

Nous partageons
Un thé
Dans la Toundra
Un réconfort
Face à l'infini

Apu uapian
Peikuan kassinu nitshi uapaten
Unashinataikan, ka kashti-tipishkat
Mushuau-assi

Shaputue nipimuten
Anite ka kashti-tipishkat
Apu tshekuan tshipishkakuian
Shipu anite pimiku(n) ekute etuteian
Nin muk^{u} nipeten

Tshitshitutaitin nete pietapak
Tshitshitapamitin e nimin
Nuash e shakashtuet
Ekute netuapamin

Tshiminnanu
Nipishapui
Mushuat
Minuenimun
Apu nita punipanit ute

Musique de mon cœur
Laisse le vent caresser la vie
Une tendresse pour un pas de danse
Une salle de bal tapissée de lichens
Et de constellations
Dessine mon infini

Nikanueniten nikamun niteit
Nutin niminik[u] minuashieunnu
Tshisheuatishiun ui nimu
Nimutshuap tshishtapakunnu(n)
Uashku
Unashinataim[u] nitinniunnu

Tu es rare
Tu es l'immensité
Je te connais hors du temps
Un rêve de couleurs
Me conduit au chant
De mes ancêtres

J'ai perdu mes incantations
Je t'implore de diriger mes pas
Là où tout se rassemble

Apu mitshetin
Tshin ka mishta-mishishtin
Tiush tshinishtuapamitin
Nipuamun
Nititutaikun anite tshe mishkatan
Nikamutaui nitanishkutapanat

Nunitan ninatau-nikamuna
Aikam tshinatuenitamatin
Tshetshi tshissinuatshitan nimeshkanam
Mamu tshetshi tananut

J'ai usé ma vie sur l'asphalte
Des mots me viennent
Dans une langue qui n'est pas la mienne
La nuit, l'innu-aimun
M'ouvre à l'espace

Je suis libre
Sur la terre de Papakassik^u
Je suis libre
Dans les eaux de Missinak^u
Je suis libre
Dans les airs où Uhuapeu trace une vision
Je suis libre là où Uapishtanapeu
Conserve le feu de mon peuple

Je suis libre
Là où je te ressemble

Ninanutan nitinniun ka pitshikatet meshkanat
Aimuna nipeten
Namaieu innu-aimun
Tepishkati nitinnu-puamun

Apu auen tipenimit
Papakassik^u utassit
Apu auen tipenimit
Missinak^u unipimit
Apu auen tipenimit
Uhuapeu niminik^u nikan-tshissenitamunnu
Apu auen tipenimit
Uapishtanapeu kanuenitam^u nitishkuteminu

Apu auen tipenimit
Uesh ma tshinashpitatin

Au matin un soleil rouge
L'azur prend sa place
Le bleu
La nuit me chante une berceuse
Le rêve ajoute d'autres couleurs
Demain, je sais
Tu es là

Tshetshishep mikuashtueu pishim^u
Uasheshkuan utinam^u utapun
Tipishkau nikatsheshkaimak^u
Puamun patshitinam^u aimunnu
Uapan tshitshissenimitin
Tshititan ute

Toundra
Tu as vu naître ma famille
J'écoute ton cœur
Le tambour rythme ma vie
Je vis au présent le passé des ancêtres
Je sens les Maîtres des animaux
De mes grands-pères chasseurs
Les berceuses anciennes de mes grand-mères

Je lévite
Mes pas se laissent porter
Sur le lichen qui nourrit Papakassik[u]
Les fleurs se transforment en de petites baies
Aux couleurs rouges, jaunes
Le noir est le sommeil
qui donne forme à mes visions
La tradition orale rassure mes peurs
de blanc-mémoire
À la tombée du jour j'atteins le cercle de la vie

Je ne suis pas l'errante de la ville
Je suis la nomade de la Toundra

Mushuau-assi
Tshin ka uapamatau nikanishat ka inniuht
Ninatuten tshitei
Teueikan nikamututam^u nitinniunu
Anutshish nuapatamuan tshiashinnuat
Utinniunuau
Nimatenimauat utshimau-aueshishat
Ka aiamituatau
Nipetamuan umemekataushunauaua nukumat

Nipimipan
Nishkata nipeshukun nuash
Uapitsheushkamikut ka ashamat Papakassik^u
Tipishkau niminik^u nikan-tshissenitamunnu
Nitinnu-aimun nuitshikun shietshishiani
Tshetshi uni-tshissian
Piatshishimuti nitakushin anite
Ka ui pashikutishinaman nitinniun

Kashikat apu natamik^u papamuteian utenat
Nin au ka matshit Mushuat

Mon âme a tant d'âges
Je me baigne dans une eau où je ne suis pas
Un plafond éclaire ma vie
Je ne connais pas les airs
Que tu fredonnes
Je suis maladroite
Tu répètes les mouvements pour que j'apprenne
Par cœur
Le rythme qui m'entraîne
À te suivre
Dans la direction
Où je ne m'égare pas

Mishta-tshishenniu nitatshakush
Nipakashimuan miam eka matenitaman
Ishpimit nuashtemakun
Namaieu nin ka nishtuapatak uashkunu
Tshinikamun
Papeshuk^u nitaitin
Kaukau tshuitamun tshetshi nishtutaman
Atshinu
Tshuishamin
Tshinashatin
Anite ua ituteian
Apu unishinian

Mon âme a mille ans
Je n'ai pas d'âge
Je meurs d'avoir vécu

Peikutshishemitashumitannuepipuneshu
Nitatshakush
Nin apu takuak nitatupipuneshun
Ninipin uesh ma nitinniuti

Cette nuit les chants des tambours
S'élèvent jusqu'à Papakassik^u
Les raquettes tachetées d'ocre
Patientent dehors
Les femmes brodent l'habit des chasseurs

Bientôt les sabots s'unissent aux tambours

Silence

Ils apparaissent

Le cri du chef-chasseur
Les arrête

La Mushuau-Shipu
Attend leur traversée

Papakassik^u s'abandonne

Tipishkau, teueikanat tshitaimuat
Upipanua unikamunua
Ashamat ka unamanishiht
Unuitimit ashuapuat
Ishkueuat ashpikuatamuat natau-akupa

Anutshish ushkashitikuat mak teueikanat
Tapishkut tshika ishitakushuat

Eka tshitik^u

Pet nukushuat

Kanikanutet tepuateu
Natshikapauat

Mushuau-shipu
Ashuapameu tshetshi tashkamaiminiti

Papakassik^u patshitinitishu

Un traîneau tire mes perches
Le champignon veille le feu
Je porte ma grand-mère sur le dos
Mes genoux ploient
Sous tant de sagesse

Utapanashk^u pimipitshieu
Nikuakushuakanashkua
Pushakan nakatuenitam^u kutuannu
Nuiutimau nukum
Nitshikuna nipashkupanua

Les chasseurs sont partis
Grand-père dépose la théière sur le feu
L'odeur du thé de la Toundra m'enivre
Il me tend une tasse d'écorce
Mon être se réchauffe

Toundra, tu me gâtes

Tshituteuat nekanat kanatauht
Nimushum tetapishkashtau nipishapussikunu
Uitshimakuan nipishapui Mushuat
Nipunamak
Niminuenimun

Mushuau tapue tshiminu-tutun

Ils sont partis
Je suis seule
J'ai marché sans perdre mes jambes
J'ai boité jusqu'à toi
Le dos courbé
Je suis allée chercher les grands-pères
Jusqu'à tes veines dans la rivière
J'ai allumé un feu
Tu me purifies
Je demande pardon à la vie

Apu tananut
Nipeikussin
Nipimuten
Nuash e massimassipanian
Nuakaukanen
Ninatuapamauat nimushumat
Anite shipit
Nikutuen
Tshinaikun
Ninatueniten tshetshi kashinamakauian

Ma prière ressemble
À un acte de contrition
Je demande pardon
Aux Maîtres des animaux
J'ai omis de me lever
Quand on saccageait
Ton corps
On salissait tes veines

Face à ta colère
Nous sommes seuls

Nitaiamieun natuenitam[u]
Tshetshi kashinamuakanniti
Ninatuenitamuauat utshimau-aueshishat
Tshetshi kashinamuht
Apu ut pashikuian
Ka manenimikuin
Ka papiuanikuin
Ka uinakuikuin

Kashikat tshitshishuaitinan, tshuepinnan
Nipeikussinan

Ce matin
Il neige à gros flocons
Je m'attarde à mon rêve
Je suis au pensionnat

Septembre, je pars avec mes parents
Sur le territoire
Je suis le saumon qui remonte les chutes
Et fraie les eaux pour la pondaison

Cette fois, impossible
Car je dois apprendre à lire et à écrire
Mon savoir devra apprendre à prendre le temps
Je dois être absente
De l'enseignement de mon identité

Aujourd'hui est aujourd'hui
J'enseigne mon identité
Dans une salle de classe

Je redeviens moi
Dans un rire

J'ignore si demain me gardera intacte
Je dis que l'espoir de se laisser être
Éloigne le désespoir

Tshetshishep
Mishta-mishpun
Anite nitapin
Nipuamun nitshissituten
Auassat ka kanuenimakaniht nititan

Ushkau-pishim^u nikushpinan
Ninatau-assinan ninatainan
Nin um utshashumek^u nunakamiun
Tshetshi amiuian

Anutshish animan
Nimishtikushiu-tshishkutamakaun
Ishinakuan tshetshi upime ashtaian nitinniun
Ishinakuan tshetshi upime ashtaian nitinnu-aitun
Apu tshi uitshi-kushpimikau nikanishat

Anutshish kashikat
Nitshishkutamatshen nitinniun
Mishtikushit

Nin um kau
Uesh ma nushinen

Apu tshissenitaman
Uapaki eshk^u a nika innu-mateniten
Nipakushenitamun nuitshikun
Tshetshi eka patshitenimuian

73

La vie m'amène
À la vieillesse

Mes jambes fatiguées
Continuent

J'avance
Un pas
Un autre

Je suis l'enfant
Des premiers pas

Le matin se lève
Je marche

Inniun nipeshukun
Nuash tshetshi tshishenniuian

Nishkat aieshkushiuimakan
Shaputue nipimutan

Shaputue
Min minuat
Min minuat

Nin auass
Ka ussi-pimutet

Tshetshishepaushu
Eshk^u nipimuten

Un mot te ressemble
Deux mots te parlent
Tu es silence

Muette, tu as
Tant à dire

Je t'écoute
Tu racontes
Le tambour
Mon cœur
S'inquiète

Parlons-nous

Aimun tshiminitin
Nish[u] aimuna tshitaimikun
Apu petakushin

Tshin eka ka aimit
Mishau tshipa issishuen

Tshinatutatin
Tshitipatshimau
Teueikan
Niteit
Tshushtuenitamin

Aimitutau

Je rêve aux lacs de ma terre
Aux étoiles qui s'y mirent
Tout est calme dans la Toundra
Le silence est vrai
Les bulldozers ne crachent plus leur fiel
Je suis seule avec ma prière
Je cherche l'étoile du caribou
Mon guide

Nanitam nitshissituten shakaikana nete nitassit
Peshakuapiani nuapamauat utshekatakuat
Uapanitshakumauat
Apu tshekuan petakuak Mushuat
Ute tshiaminniun muk^{u} takuan
Apu petukau kashutishiht
Ka manenitahk nutshimit
Nipa minueniten tshi tshitishaukau
Nipeikussin ashit nitaiamieun
Ninanatuapamau atiku-utshekatak^{u}
Nui tshisseniten tanite tshe ituteian

Ton réveil bouscule la vie
Les minutes ressemblent à des heures perdues
Gouttes de pluie où s'amalgament
Tes larmes silencieuses
Et s'entremêle l'invisible

Ton sentier devient un long portage
Ton âme réclame une conscience pure
Ton cœur saigne la liberté blessée
Tes mocassins s'usent sur l'asphalte

Des plumes s'éloignent dans le ciel gris
Et se posent sur une terre menacée
Tu espères l'enseignement des ancêtres
Pour survivre dans cette sagesse

Tshetshishep shassikut tshitapishikushin
Tipaikana pishakuana
Tshiman tshemuaki
Tshetshi eka nishtunakushin

Mashkuau tshipakatakan-meshkanam
Tshe nashamin
Tshitatshakush ui minuteieu
Tshiteit tshimateniten eka tepenimitishuin
Tshimeshtititan tshipishakanassina
Ashiniu-meshkanat

Mikunat upauat
Patshishinuat assit ka ui pikunakanit
Tshipakusheniten tshetshi kau
Tshishkutamashkau tshimushumat
Tshetshi minu-shaputuetein tshitinniunit

Ce soir la lune déborde
Une mélodie raconte un son
Une incantation de tambour
Chante une terre
Un loup hurle sa joie
Les caribous sont là
Le cœur bat
Un rythme sonne un sourire
Une danse invite
À la musique
Où les pas laissent leurs traces

Utakussu shakassineu tipishkau-pishim^u
Petakuan inniun
Teueikan petakushu nikamuitak
Maikan unu minuenitam^u
Pimuteuat atikuat
Niminueniten niteit
Nushinen
Nuishamakaun tshetshi nimian
Anite tshe mitimeian

Son corps est Toundra
Du coin de l'œil
Je l'observe
Son âme danse
Avec les aurores boréales

Tout horizon rêve
De sa beauté

Mushuau nenu uiau
Tshimut
Ninakatuenimau
Utatshakusha minushishinua
Namiti ashit uashtushkuana

Tanite ua tat
Mishue
Minunuakanu

Tu vas à la ville
Aspirant à une vie meilleure
Dans ta fuite
Tu te fuis
Tu vas de rencontres en rencontres
Tu t'inventes un récit qui te ressemble
Tu t'en vas si loin
De ta naissance
Ton évasion ne danse plus
Tes musiques ont perdu leur rythme
Tu vacilles vers des lumières
Tel un papillon qui brûle ses ailes

Où es-tu dans ta vie inachevée
Où es-tu que je ne te trouve pas
Où es-tu que je n'oublie pas
Où es-tu dans ton où es-tu

Un soleil rouge t'accueille
Tu es ailleurs
Tu es une fillette effrayée
Ils ne parlent pas ta langue
Tu es là où tu te perds
Tes « au secours » s'enfuient
Vers le vent du nord inquiet

Utenau tshinaten
Anu minuashu inniun tshititeniten
Tshui ushimun
Tshin tshushimututatishun
Mitshet auenitshenat tshinatshishkuauat
Tshitipatshimushtatishun
Tshitapuetatishun
Katak^u tshitituten
Anite ka utshin
Punipanu e niminanut
Tshitshishkuepanitishun
Miam kuakuapishish uashtenamakanit

Tanite piapanin tshitinniunit
Tanite etain anite ka tain
Tanite nita tshipa tshi uni-tshissitutatin
Tanite etain anite ka tain

Mikuashtueu pishim^u anite uashamikuin
Ait tshititan ait
Tshishetshishin miam ishkuessiss
Apu aimiht tshitaimunnu
Tshunishimitishun
Shash apu petakushin ka tepuein
Tshiuetin-assi tshushtuenitamiau

Tu pries pour être entendue
Mais ton cri reste silencieux

Ton âme
Retourne vers les tiens

Tshitaiamian tshetshi petakuin
Apu nana petakuak tshitepueun

Tshitatshakush kau tshiueu
Anite ka inniuin

Tu ne connais pas ton âge
Tu dis seulement : « je reçois l'argent des vieux »
Tu es un sage
Ton regard paraît lointain
Dans ta tête surgissent des souvenirs
Tu revois ton territoire
Les rêves ne sont plus les mêmes
Pourtant, l'Esprit des animaux t'habite
Tes pas légers ne se fatiguent pas
Ta marche te conduit toujours
Vers la Toundra
Patient, tu attends Papakassik[u]
Le Maître du caribou

Apu tshissenitamin etatupipuneshin
Nutshishenniu-ushuniamin tshishin
Tshitshissenimitin ka katshitauenitak an Tshin
Tshimamitunenitamiu-aitapin
Tshuapamitishun eshk^u ka nutshimiunnuin
Mishkutshipanu nene ueshkat ka ishinamin
Tshuishamikuat utshimau-aueshishat
Tshetshi kau mitimain tshimeshkanam
Anite eka nita ka aieshkutein
Tshitshisseniten Mushuau-assit
Nanitam tshe takushinin
Papakassik^u tshitashuapamau
Uesh ma tshitapuetatishun, atik^u tshika pimuteu

Une nuit blanche
Les heures, les minutes, les secondes
N'ont jamais été si proches de moi
Dans ton invisible
Un souffle, ta présence
Tu es là sans être là
Un lever du jour
Reçoit tes premiers pas

Premier respect
Tu acceptes ta destinée
Assis sur le lichen
L'immensité de la terre des tiens
Tu lèves la tête
Des aurores boréales
Des anges blancs, verts, mauves
Te prennent sous leurs ailes
Puis t'emmènent
Là où tu resteras vivant

L'écho murmure un chant ancien
Je prends le tambour
Je cherche une berceuse
Que je ne sais pas chanter

Ninipepin
Pishakuana tipishkau-tipaikana
Eka nepanuti
Apu uapamitan
Tshimatenimitin
Miam tain anite
Petapan
Uapatam^u e ussi-pimutein

Eukuan ishpitenimitun
Tshiminu-utinen eshi-minikuin
Uapitsheushkamikut tshitapin
Tshitshitapaten eshpitashkamikat tshitassi
Ishpimit tshitaitapin
Uashtushkuan tshiminik^u
Anisheniua
Uapishinua, shipekunua, apitshiminenua
Tshutinikuat
Tshititutaikuat
Anite eka nita tshe nipin

Sheueu nikamutak tshashi-nikamunnu
Nutinau niteueikan
Ninatu-tshissituten katsheshkaimaushun
Apu nitau katsheshkaimaushuian

Tu es mon rêve long
Je mendie des années pour te connaître
Mes rides n'ont plus d'âge

Tshin an ka puatitan
Ninatueniten minekash tshetshi inniuian
Tshui nishtuapamitin
Atshinu tshe tshishenniunakushian

Dans la même collection

Anthony Lespès, *Les clefs de la lumière*

Léon Laleau, *Musique nègre*

Laure Morali, *La terre cet animal*

Yanick Jean, *La fidélité non plus*

Jacques Roumain, *Bois d'ébène* suivi de *Madrid*

Roussan Camille, *Assaut à la nuit*

Alain Mabanckou, *Tant que les arbres s'enracineront dans la terre* précédé de *Lettre ouverte à ceux qui tuent la poésie*

Raymond Chassagne, *Carnet de bord*

Franz Benjamin, *Dits d'errance*

Joubert Satyre, *Coup de poing au soleil*

Khireddine Mourad, *Chant à l'Indien*

Rodney Saint-Éloi, *J'ai un arbre dans ma pirogue*

Roger Dorsinville, *Pour célébrer la terre* suivi de *Poétique de l'exil*

Louis-Philippe Dalembert, *Poème pour accompagner l'absence*

Willems Édouard, *Plaies intérimaires*

Serge Lamothe, *Tu n'as que ce sang*

Valérie Thibault, *La déroutée*

Gary Klang, *Il est grand temps de rallumer les étoiles*

Georges Castera, *Bow !*

Anthony Phelps, *Mon pays que voici*

Gérald Bloncourt, *Dialogue au bout des vagues*

Mona Latif-Ghattas, *Les chants modernes au bien-aimé*

Roger Toumson, *Estuaires*

Ernest Pépin, *Dits de la roche gravée*

Max Jeanne, *Phare à palabres. Poéreportage*

Marie-Célie Agnant, *Et puis parfois quelquefois...*

Joséphine Bacon, *Bâtons à message · Tshissinuatshitakana*

Gary Klang, *Toute terre est prison*

Makenzy Orcel, *À l'aube des traversées*

Louis-Michel Lemonde, *Tombeau de Pauline Julien*

Franz Benjamin, *Vingt-quatre heures dans la vie d'une nuit*

Louis-Karl Picard-Sioui, *Au pied de mon orgueil*

Ouanessa Younsi, *Prendre langue*

Rodney Saint-Éloi, *Récitatif au pays des ombres*

Michel X Côté, *La cafétéria du Pentagone*

Georges Castera, *Les cinq lettres*

Gary Klang, *Ex-île*

Virginia Pésémapéo Bordeleau, *De rouge et de blanc*

Georges Castera, *Gout pa gout*

Raymond Chassagne, *Éloge du paladin*

Violaine Forest, *Magnificat*

Natasha Kanapé Fontaine, *N'entre pas dans mon âme avec tes chaussures*

Jean Désy, *Chez les ours*

James Noël, *Le pyromane adolescent*

Hyam Yared, *Esthétique de la prédation*

Kamau Brathwaite (trad. Christine Pagnoulle), *RêvHaïti*

Rodney Saint-Éloi, *Jacques Roche, je t'écris cette lettre*

Sébastien Doubinsky, *Pakèt Kongo*

Abdourahman A. Waberi, *Les nomades, mes frères, vont boire à la grande ourse*

Louis-Karl Picard-Sioui, *Les grandes absences*

Ouanessa Younsi, *Emprunter aux oiseaux*

Natasha Kanapé Fontaine, *Manifeste Assi*

Jean Morisset, *Chant pour Haïti*

Laure Morali, *Orange sanguine*

Jackie Kay (trad. Caroline Ziane), *Carnets d'adoption*

Jean-Claude Charles, *Négociations*

Jean Sioui, *Mon couteau croche*

Samian, *La plume d'aigle*

Jean Désy et Normand Génois, *Bras-du-Nord*

Rodney Saint-Éloi, *Je suis la fille du baobab brûlé*

Hyam Yared, *Naître si mourir*

Julien Delmaire, *Rose-Pirogue*

Isabelle Duval · Ouanessa Younsi (dir.), *Femmes rapaillées*

Natasha Kanapé Fontaine, *Bleuets et abricots*

Alain Mabanckou, *Congo*

Pierre Emmanuel, *Poèmes de la Résistance*

Rita Joe, *Nous sommes les rêveurs*

Serge Lamothe, *Ma terre est un fond d'océan*

Flavia Garcia, *Partir ou mourir un peu plus loin*

Chloé LaDuchesse, *Furies*

Katherena Vermette (trad. Hélène Lépine), *Ballades d'amour du North End*

Marc Alexandre Oho Bambe, *De terre, de mer, d'amour et de feu*

Virginia Pésémapéo Bordeleau, *De rouge et de blanc*

Makenzy Orcel, *Le chant des collines*

Jean Désy, *Chorbacks*

Ocean Vuong (trad. Marc Charron), *Ciel de nuit blessé par balles*

Elkahna Talbi, *Moi, figuier sous la neige*

Seymour Mayne (trad. Caroline Lavoie), *Chant de Moïse*

Natasha Kanapé Fontaine, *Nanimissuat · Île-tonnerre*

Emmelie Prophète, *Des marges à remplir et autres poèmes*

L'OUVRAGE

UN THÉ DANS LA TOUNDRA · NIPISHAPUI NETE MUSHUAT

DE JOSÉPHINE BACON

EST COMPOSÉ EN ARNO PRO CORPS 11.5/13.5.

LL EST IMPRIMÉ SUR DU PAPIER ENVIRO,

CONTENANT 100%

DE FIBRES RECYCLÉES POSTCONSOMMATION

TRAITÉ SANS CHLORE, ACCRÉDITÉ ÉCO-LOGO

ET FAIT À PARTIR DE BIOGAZ

EN MARS 2019

AU QUÉBEC (CANADA)

PAR MARQUIS IMPRIMEUR

POUR LE COMPTE DES ÉDITIONS MÉMOIRE D'ENCRIER INC.